THE REMARRIED EMPRESS

Zeichnungen:	Story Webtoon:	Story Webnovel:
SUMPUL	**HereLee**	**Alphatart**

1

- Inhalt -

Die Familie Trovi,
der ich angehöre, hat
über die Jahrhunderte
zahlreiche Kaiserinnen
hervorgebracht.

Und so wählte
auch der vorherige
Kaiser Osis III. mich
als Partnerin des
Kronprinzen aus.

Es war
eine politische
Heirat.

Zum Glück
verstanden Sovieshu
und ich uns seit unserer
Kindheit sehr gut.

Die Adeligen
hielten uns für
ein bezauberndes
Paar ...

... und wir saßen
häufig beisammen
und sprachen darüber,
wie wir die Zukunft
des Landes gestalten
würden.

Ich war
die perfekte
Kaiserin.

8

Bis heute.

RATSCH

Ich ...

... akzeptiere die Scheidung.

Navier
Kaiserin des Östlichen Imperiums

Eure Majestät! Das ist völlig absurd!

Haltet Eure Zunge!

Wie kann so etwas ...?!

Rashta
Kaiser Sovieshus
Konkubine

Sovieshu
Kaiser des Östlichen
Imperiums

Wollt Ihr dieser Scheidung wirklich ohne jegliche Einwände zustimmen?

Ich erkenne den Wunsch des Kaisers an.

Ja.

PUH

Ich tue das nicht gern ... trotzdem fällt mir ein Stein vom Herzen.

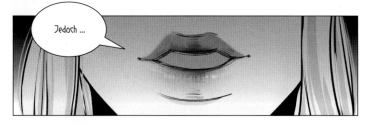

Jedoch ...

... ersuche ich Eure Erlaubnis, erneut heiraten zu dürfen.

Was?!

?!

TUSCHEL

Habt Ihr das gehört?

Sie will wieder heiraten?

TUSCHEL

I... Ihr
wollt erneut
heiraten ...?

Was?!
Aber wen
nur?!

Pfft!

TAPP

GRINS

Nun geht Seine Majestät aber wirklich zu weit!

ZACK

Nicht wahr? Wir dienen immerhin der Kaiserin ...

Einige Monate zuvor

KLACK

Und dann soll sie auch noch eine entflohene Sklavin ... Oh!

SCHLUCK

I... Ihr seid schon zurück, Majestät?

I... Ich bereite Euer Bad vor.

Hm?

Welch ominöse Atmosphäre ...

STILL

SST

Ist ...

... während meiner Abwesenheit etwas vorgefallen?

Oh ja! Ihr werdet es nicht glauben, Majestät!

FWWAT

Nun, Seine Majestät der Kaiser hat auf seinem Jagdausflug eine unansehnliche junge Frau getroffen und sie in den Palast gebracht.

PLAPPER

Sie muss ihn regelrecht verzaubert haben. Dennoch ist es unerhört, uns aufzutragen, dieses schmutzige Ding zu waschen.

PLAPPER

Meine Güte ...

Mit meinen Händen wasche ich noch nicht einmal mich selbst. Welch ungeheuerliche Schmach.

Genau!

Wir lassen nur Wasser an unsere Hände, wenn wir uns um Euch kümmern, Majestät!

Tss!

Oh!

Aber unter all dem Schmutz verbarg sich eine makellose Schönheit.

In der Tat. Selbst Herzogin Tuania, die schönste Dame der adeligen Gesellschaft, ist sie nahezu ebenbürtig.

Mit Euch kann sie natürlich nicht mithalten!

Es ist nur ... Seine Majestät scheint großen Gefallen an ihr gefunden zu haben.

Ach ja?

Er war
schrecklich aufgebracht
und fragte sie immerzu, wie
sie sich verletzt habe und
warum sie so abgemagert
und blass sei ...

Ihr seid
zu gutgläubig,
Majestät! Es war völlig
offensichtlich, dass
zwischen ...

... den beiden ...

Daran
erkenne ich nichts
Verwerfliches ...

So ...?

Es herrschte wahrlich eine besondere Atmosphäre. Und wir erzählen Euch das nur, Majestät, weil Ihr uns am Herzen liegt und wissen sollt, dass wir auf Eurer Seite sind.

Es wäre dennoch eine Erleichterung, wenn wir uns umsonst Sorgen machen.

Ich verstehe.

Selbst wenn meine Kammerdamen Recht behalten sollten ...

Sollen wir Nachforschungen zu dieser Frau anstellen?

... könnte ich doch nichts tun ...

22

Ich danke Euch, aber das wird nicht nötig sein.

Seine Majestät ist ein sehr mitfühlender Mensch.

Sicher konnte er eine Dame in Not nicht einfach ignorieren.

SST

Ich hörte, dass Ihr in den Jagdgründen eine Sklavin gefunden habt.

ERSTARR

Stimmt das?

Ach.

Wer hat Euch das erzählt?

Das spielt keine Rolle. Es stimmt also?

...

Majestät?

Genug davon.

Wir essen
nur zweimal in der
Woche zusammen.

Es gibt reichlich Themen,
die wir besprechen könnten,
aber ausgerechnet dieses ist
Euch so wichtig?

Oh.

Ein
warnender
Tonfall.

Es ist mir untersagt, mich einzumischen
oder ihm weitere Fragen zu stellen.

NACHDENKLICH

Ich wusste es ...

Es muss etwas vorgefallen sein ...

Eure Majestät ...

Was hat Seine Majestät der Kaiser gesagt?

Nichts.

Er hat ...

ZÖGER

27

... sich nicht weiter dazu geäußert.

DEPRIMIERT

DÜSTER

?

Wenn dem so wäre, wärt Ihr sicherlich nicht derart niedergeschlagen.

Macht Euch keine Sorgen und sprecht mit uns, Majestät! So können wir entsprechende Vorbereitungen treffen.

Der Kaiser meinte, sie sei aus Versehen in eine seiner Fallen geraten.

Er wies mich außerdem darauf hin, dass sie keine entflohene Sklavin und es nur selbstverständlich sei, sich nun um sie zu kümmern ...

KLANK

Es missfiel ihm, weiter über dieses Thema zu sprechen.

Was?!

Bitte, meine Liebe ...

SCHRECK

ZUCK

SCHNAUB

ZITTER

Majestät! Wusstet Ihr, dass sich mein Vater zu Beginn seiner Affäre genauso verhielt?

Die Sache liegt klar auf der Hand! Das sind die ersten Anzeichen einer außerehelichen Liaison! Jawohl!

Nur wer im Unrecht ist, reagiert aggressiv und abwehrend!

GROOOAR

Wenn es doch so selbstverständlich ist, sich um sie zu kümmern, warum widerstrebt es ihm dann, über das Thema zu sprechen?!

Nun ist aber gut ...

Na, na! Beruhigt Euch und geht ein wenig spazieren, Laura!

KLACK

Majestät.

Wenn Ihr eine Tasse wohlduftenden Tee trinkt, wird es Euch gleich besser gehen.

SST

Der Kaiser war gewiss nur erstaunt, eine schöne Frau in einer Falle vorzufinden. Seine Gefühle sind außer Zweifel flüchtiger Natur.

Gräfin Eliza.

Meine Mutter pflegte zu sagen ...

... dass es mich nicht verletzen solle, wenn er sich eine Konkubine nimmt.

Es sei schon immer eine gängige Praxis am kaiserlichen Hof gewesen und ich dürfe nicht erwarten, dass Sovieshu sie ignorieren würde.

ZUPF

Doch egal wie viele Konkubinen er zu sich holt ... Ich bin die Kaiserin.

Und unsere Liebe war ohnehin nie so stark, als dass wir ohne den anderen nicht leben könnten.

Aber warum ...

... fühle ich mich trotzdem so verloren?

Ihr wart seit eurer Kindheit verlobt, und nun seid ihr ein Ehepaar.

Logisch betrachtet sollte es mir gleichgültig sein ...

Natürlich kommen da Gefühle auf.

KLONK

Dann ...

Meine liebe Kaiserin ...

PATT PATT

... wäre der Kaiser ebenfalls traurig, wenn ich einen anderen Mann an meiner Seite hätte?

Nun gut. Ich sehe keinen vernünftigen Grund, diese Frau jemals zu treffen.

Mitnichten.

Selbst wenn diese Sklavin die Konkubine des Kaisers wird, es ist ihr nicht erlaubt, geschäftlichen Anlässen beizuwohnen oder in den Kreisen der adeligen Gesellschaft zu verkehren.

Das ist korrekt.

Jedes Jahr wird einer festgelegten Anzahl von Sklaven das Bürgerrecht gewährt. Entflohene Sklaven hingegen haben keinerlei Anspruch auf dieses Privileg.

Einhundert Jahre!

Ein Mensch wird versklavt, wenn er selbst oder ein Familienmitglied der vorangegangenen Generation ein Verbrechen begangen hat, das eine lebenslange Strafe verdient. Ein entflohener Sklave aber hat sein Vergehen nicht gesühnt und gilt daher als flüchtiger Häftling.

Auch wenn Sovieshu sie zu seiner offiziellen Konkubine ernennt ...

... sie wird nie in der feinen Gesellschaft debütieren können.

Gräfin Eliza hat recht.

Es ist nur natürlich, dass ich geschockt bin und mich einsam fühle, wenn mein Ehemann unvermittelt eine Geliebte zu sich holt.

Mehr Emotionen darf ich jedoch nicht zulassen.

Diese Frau, er und ich ... wir alle werden unser eigenes Leben führen.

Und schließlich bin allein ich die Kaiserin des Östlichen Imperiums.

Angeblich vergehe kein Tag, an dem Seine Majestät diese Sklavin nicht aufsucht.

Ich hörte, er bringe ihr sogar persönlich das Essen aufs Zimmer!

Was? Der gefühlskalte Kaiser? Wie überraschend!

Überall wird getuschelt ...

Ich sollte Augen und Ohren verschließen. Schließlich geht es mich nichts an.

KLAPP

RASCHEL

Trotzdem möchte ich gerade nichts davon hören.

Ist sie das?

Psst!
Nicht, Fräulein
Rashta!

WHIRL

Oh!

?

NICK

FWUIT

STOPP

Ah! Halt!

Ich bin
die Kaiserin,
doch sie wagt
es ...

FUNKEL

... mir ein „Halt"
nachzurufen ...?

Ähm ...
Ich bin Rashta.

Was
erwartet sie
von mir?

Rashta
also.

Wollte sie, dass
ich sie mit ihrem
Namen anspreche?

GLITZER

GLITZER

Ich werde sie
vermutlich nicht
wiedersehen.

FWUIT

I / OH ...

Wartet bitte kurz!

RATSCH

Oh?!

Oh,
i... ich ...

E... Es tut mir
leid ... Ich wollte nach Euch
rufen, aber ich wusste nicht,
wie ich Euch ansprechen
sollte ...

Dies ist die
Kaiserin des Östlichen
Kaiserreichs. Also benimm
dich gefälligst!

Was?

Nein ...
Das meinte ich nicht ...
Ich weiß, wer sie
ist.

Wie
bitte?

Sie weiß,
dass ich die
Kaiserin bin?

Ich bin Rashta!

Ja, das weiß ich nun.

SEUFZ

Der Kaiser war so großzügig, mich im Ostpalast wohnen zu lassen! Ich bin ihm zu großem Dank verpflichtet!

Nun, Seine Majestät hat auf seinem Jagdausflug eine unansehnliche junge Frau getroffen und sie in den Palast gebracht.

Der meinh aus in ei Fallen

Eine junge Frau mit einem verletzten Bein, die dank Sovieshus Großzügigkeit im Ostpalast wohnt ...

Wir besprechen könnten, aber ausgerechnet dieses ist Euch so wichtig?

Oh ...

Du bist
die Sklavin?

I... Ich ...

Eure Majestät!
Bitte verzeiht meine
Unhöflichkeit!

Aber Fräulein
Rashta ist keine
Sklavin!

Ist sie nicht?
Meine Kammerdamen
waren sich doch
sicher ...

Nun gut.

Aber da sie es
abstreitet, hat es
keinen Sinn, weiter
nachzubohren.

Ein Glück,
dass wir uns hier
getroffen haben! Ich
habe mich nämlich schon
gefragt, wann ich Euch
begrüßen sollte.

Mich
begrüßen?

Na ja, da wir
uns in Zukunft häufig
sehen werden, sollte
ich mich Euch doch
vorstellen!

Wir werden
uns häufig sehen?
Warum?

Wie
soll ich Euch
ansprechen?

Wie sie
mich ansprechen
soll?

Sprich
mich mit „Eure
Majestät" an.

Hm?

FWUIT

Das
genügt.

Oh ...
Moment!

TAPP

Eu... Eure
Majestät ...!

TAPP

IGNORIER

Rashta!

Oh nein ...
Nicht weinen!

FWWT

STREICH

Na komm ...

BLICK

Ich kann dich
wirklich keine
Sekunde aus den
Augen lassen.

Was
ist das?

Nein. Es ist alles gut.
Gräfin Eliza erklärte doch,
diese Empfindungen seien
ganz natürlich.

Trotzdem ...

... erlaube ich mir, meine Augen abzuwenden und diesem unangenehmen Anblick den Rücken zu kehren.

Lasst uns gehen. Meine Füße schmerzen.

Wartet!

Einen Moment,
Kaiserin!

Ihr
wünscht, Eure
Majestät?

Eure
Kammerdame.

SST

Laura?

Er will sie doch nicht etwa wegen ihrer Auseinandersetzung mit Rashta schelten, oder?

Sie wird hier zurückbleiben.

Nennt mir bitte zuerst den Grund.

Laura ist eine Kammerdame von mir, der Kaiserin, und die geschätzte Tochter einer hochrangigen Adelsfamilie.

Sie wegen einer Person zu bestrafen, die noch nicht einmal eine offizielle Konkubine ist, würde einer öffentlichen Demütigung gleichkommen.

Noch dazu würde dies auch auf mich zurückfallen.
M... Majestät ...
Nein.
BAMM
Sie ist meine Kammerdame.

FSHAAAAAA

Sie mag Eure Kammerdame sein, doch sie ist auch meine Untertanin.

WINK

Sperrt sie für drei Tage ein.

SCHOCK

HIHI

RUNZEL

Zu weit?

Majestät, das geht zu weit!

SCHLUCHZ

DRÜCK

Diese junge Frau ist verletzt und in meiner Obhut. Dennoch hat Eure Kammerdame sie als „räudig" bezeichnet.

FINSTER

Und Ihr denkt, ich gehe zu weit?

Keineswegs, Eure Majestät!

I... Ich akzeptiere die Strafe!

FWUIT

Laura ...!

55

Gut.
Ihr dürft
gehen.

PATT
PATT

Die
Kammerdame
der Kaiserin wird
für fünf Tage
inhaftiert.

GNN

Fünf Tage später

Ich machte mich persönlich auf zu dem Turm, um Laura abzuholen.

Anschließend sorgte ich dafür, dass man sie in meinem Bad wusch ...

... und ich bereitete währenddessen ihre Lieblings-desserts vor.

Doch dann ...

Der Kaiser lässt nach mir rufen?

Bitte verzeiht die Störung ... Mir wurde aufgetragen, Euch sofort zu ihm zu geleiten.

SCHWITZ

In Ordnung.

HACH

Gehen wir!

Eure Majestät, Ihre Majestät die Kaiserin ist eingetroffen.

Es wäre nicht gerecht, sie aus meinen Diensten zu entlassen, nachdem sie bereits bestraft wurde.

Und bei aller Vernunft, ihr Verhalten war durchaus noch im Rahmen.

WUPP

Also ...

... wollt Ihr diese Kammerdame auch weiterhin beschäftigen?

Da Laura bestraft wurde, weil sie eine ... entflohene Sklavin zurechtgewiesen hatte, wird die Öffentlichkeit sie gewiss mit Hohn und Spott überschütten.

Die Auswahl meiner Kammerdamen obliegt allein mir.

Wenn ich sie nun auch noch von ihren höfischen Pflichten entbinde, würde man sie aus der feinen Gesellschaft ausschließen.

Laura wurde diszipliniert, da Rashta es gelungen war, mich auszuspielen. Doch hier ist Schluss.

Dieses Wortgefecht ist ermüdend.

DREH

Könnt Ihr nicht ein Mal gehorsam tun, was ich sage?

Was?

Gehorsam?

Eine Kaiserin ...

... ist keine Untertanin, die sich blindlings den Weisungen eines Kaisers fügt, Majestät.

KRALL

Und genau deshalb komme ich nicht umhin, euch zwei zu vergleichen!

FWUIT

OH

Vergleichen?

Mit wem?

KLACK

Das genügt.
Ihr dürft gehen.

FWUMP

Ich habe
Durst ...

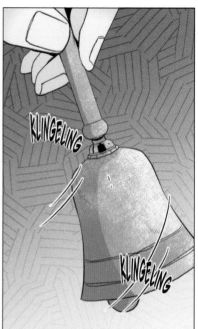

KLINGELING

KLINGELING

Hah ...

Ihr habt
gerufen ...

Hm?

63

Na ja ...

Ich komme mir wie eine Last vor, wenn ich die ganze Zeit nichts tue.

Also übernimmst du Aufgaben der Bediensteten?

Ja!

HIHI

ENTSCHLOSSEN

Du bist wirklich unterhaltsam.

Obwohl es dir schwerfällt, allein zu laufen, möchtest du mich umsorgen?

PATT

PATT

Komm, setz dich. Ich wüsste nicht, was gegen Ruhe und Erholung spräche. Iss einen Kürbiskuchen mit mir!

Uwah!

Kürbiskuchen!

Dass man dich nur mit Essen so glücklich machen kann!

Was heißt hier „nur Essen"?!

Mag die Kaiserin es nicht, wenn Ihr ihr Schmuck schenkt?

STREICH

Die Kaiserin reagiert stets gleichgültig, selbst wenn ich ihr teuren Schmuck schenke.

Du hingegen freust dich über Kleinigkeiten. Es ist faszinierend.

Sie mag es durchaus und dankt mir auch dafür. Doch sie ist ... äußerst reserviert und zeigt kaum Emotionen.

Vielleicht ... liegt es daran, dass sie so behütet aufgewachsen ist und nie ungerecht behandelt wurde. Bestimmt hat sie keine Ahnung, wie hässlich die Welt sein kann.

WEHMÜTIG

Für sie mag es selbstverständlich sein, Geschenke wie teure Juwelen zu erhalten.

Hm?

Oh!

I... Ich meine das nicht böse! Es ist nicht ihre Schuld!

Aber, nun ... Menschen, die viel besitzen, sind einfach so.

WEDEL

WEDEL

Für Euch wäre es bestimmt auch nichts Besonderes, wenn man Euch große Juwelen schenken würde ...

In der Tat.

STREICH

HMM

Meine Jagdbeute ist schlauer, als ich dachte.

Tss ...

Immer bezeichnet Ihr mich als Eure Jagdbeute.

BADUM

BADUM

BADUM

Oh!

Ähm,
übrigens,
Majestät.

HIHI

LINS

Ihr habt
doch gesagt, dass
Ihr Rashta zu Eurer
Konkubine machen
würdet.

Das spielt
keine Rolle. Zudem
haben wir alle Zeit
der Welt.

Korrekt.

Ich glaube, die
Kaiserin weiß noch
nichts davon ...

Zerbrich dir nicht
deinen hübschen Kopf.
Ich habe bereits
einen Plan.

?

SCHWITZ

Oh!

ERRÖT

Darf ich annehmen, dass Ihr des Schreibens nicht mächtig seid?

Das ist keine Seltenheit.

Ihr könnt es schrittweise lernen.

KLANK

Heute bringe ich Euch erst einmal die Schreibung Eures Namens bei.

Oh, beinah wäre es mir entfallen ...

Ihre Majestät die Kaiserin wird Euch mit einiger Sicherheit ein Geschenk zukommen lassen.

?

Ein Geschenk?

Schließlich ist sie die Hausherrin im kaiserlichen Palast.

Als solche schickt sie ein Geschenk an die Konkubinen, die in Zukunft dort leben werden. Damit drückt sie nicht nur ihren Respekt aus, sie akzeptiert die Konkubine zudem als Teil der kaiserlichen Familie.

STRAHL

Und Ihr glaubt, die Kaiserin wird Rashta auch ein Geschenk machen?

Das werde ich nicht.

Ein Glück!

Wir waren besorgt, dass Ihr dieser Frau womöglich etwas schenken werdet.

Es gibt nur drei Gründe, weshalb eine Kaiserin einer Konkubine ein Geschenk zukommen lässt.

Erstens: Sie ist eine gute Freundin. Zweitens: Sie ist eine angesehene Dame des Hochadels.

Und drittens: Sie entstammt derselben Familie wie die Kaiserin.

Aber Rashta fällt in keine dieser Kategorien.

Soll ich mir etwa eine Rechtfertigung überlegen und ihr einen Brief schicken ...

... mit den Worten: „Kümmere dich gut um meinen Ehemann"? Welch absurde Vorstellung.

Welches Gerücht?

Es heißt, der Prinz des Westlichen Königreichs werde an unseren Feierlichkeiten teilnehmen!

Er soll wunderschön sein, und ein Blick von ihm genügt ...

... um noch jede Frau dahinschmelzen zu lassen!

Wie dem auch sei! Wird er zu Gast sein?

Ich hörte jedoch, er sei schrecklich dickköpfig.

Zudem hat er zahlreiche Liebschaften ... wenn auch noch kein einziges Kind.

Ob er wahrhaftig mit Platzpatronen schießt?

SCHWITZ

SCHWITZ

GLITZER

GLITZER

♥

Ein Märchenprinz ...

Ich kann nichts über den Wahrheitsgehalt dieser Gerüchte sagen ...

... aber es stimmt, dass er uns zu Neujahr beehrt.

PFFT

KLOPF

KLOPF

Kommt herein!

KLACK

Er ist hartnäckig.

HAHA

Trinkt doch eine Tasse Tee, während Ihr Euch ausruht, Majestät.

Er riecht himmlisch.

Verzeiht die Störung, Eure Majestät.

TAPP

Fräulein Rashta ist hier, um Euch zu sehen.

Rashta?

Oh.

GNN

Ich möchte sie eigentlich nicht sehen.

Lasst sie herein!

Rashta grüßt Eure Majestät! Es ist schön, Euch wiederzusehen!

Ich habe gelernt, mir nicht anmerken zu lassen, wenn mir eine Situation unangenehm ist.

Nun bist du also offiziell eine Konkubine des Kaisers.

Glückwunsch.

Vielen Dank!

Was führt dich zu mir?

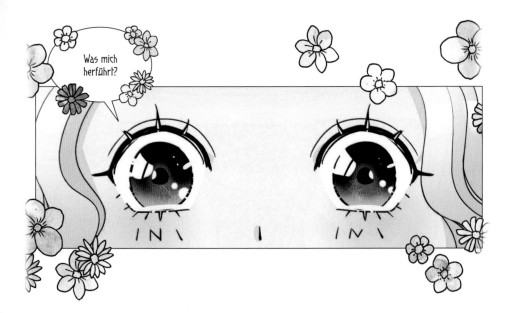

Ich fürchte,
ich bin an die Grenzen
meines Großmutes
gestoßen.

Wir
teilen uns einen
Ehemann?

Noch dazu ...

... will sie mich als
Schwester bezeichnen?

KRACK

Nein.

Was?

SCHNIEF

SCHNIEF

Liegt es vielleicht daran ... dass Ihr Rashta nicht mögt?

Damit hat das nichts zu tun.

Du magst die Konkubine des Kaisers sein, doch das bedeutet nicht, dass wir nun Schwestern sind.

SCHOCK

LINS

Wie bitte?

Was ist passiert?

Die Kaiserin hat gesagt ...

... dass ich nur die Konkubine des Kaisers, nicht aber ihre Schwester sei. Und ich dürfe sie auch nicht als solche bezeichnen.

HNNG

Sie hasst mich eindeutig.

Oder ist das immer so?

Fräulein Rashta, habt Ihr etwa ...

... die Kaiserin aufgesucht?

Haha ...

Gewiss nicht, oder?

Ja!

Herrje ...

Wieso? Wir haben doch denselben Ehemann.

Ich bezweifle es, aber ...

D... Das habt Ihr der Kaiserin ... gewiss nicht ins Gesicht gesagt, oder?

Doch, natürlich!

ZUCK

FWUUSCH

Oh ... Möge Gott ihr gnädig sein!

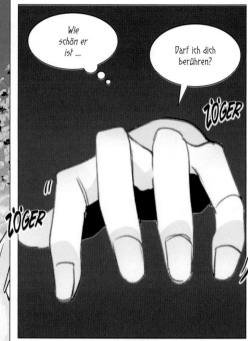

KRAUL

Hat einer der Adeligen diesen Vogel aufgezogen?

Oh!

Da ist eine Nachricht ...

Ich bin ein Gast aus dem Ausland, der für das Neujahrsfest anreisen wird. Diesen Brief schrieb ich, nachdem ich etwas getrunken hatte.

Ich bin ein Gast aus dem Ausland, der für das Neujahrsfest anreisen wird. Diesen Brief schrieb ich, nachdem ich etwas getrunken hatte.

HIHI

Euer gefiederter Bote hat den Weg zu mir gefunden. Sollte er unbesehen den Weg zu Euch zurückfinden, so ist er wahrlich weiser als sein geheimnisvoller und trunkener Besitzer.

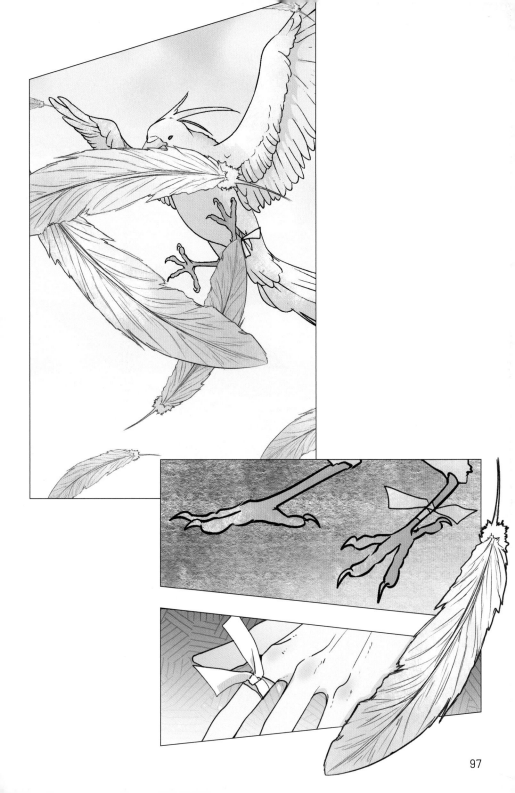

Wenn ich Euch wiedersehen
möchte, muss ich wohl weiser als
mein Besitzer sein und vom Weg
abkommen, meine Queen.

Ob dieser Vogel wohl zurückkommen wird?

FRÖHLICH

Es wäre schön, wenn er eine Antwort mitbringen würde!

Lasst uns darauf hoffen, dass er sich nicht verfliegt.

Kyah! Das ist so aufregend!

PLAPPER

PLAPPER

Wessen Vogel ist das nur?

Rashta benötigt eine Zofe.

Doch die Suche gestaltet sich äußerst schwierig.

Oh. Dabei hatte ich bisher einen erfreulichen Tag.

Da sich die Kaiserin noch nicht angeschickt hat, die adeligen Familien zu kontaktieren, halten sie sich entsprechend zurück.

Also möchte ich, dass Ihr persönlich eine Zofe für Rashta auswählt.

Meine Brust fühlt sich an wie zugeschnürt.

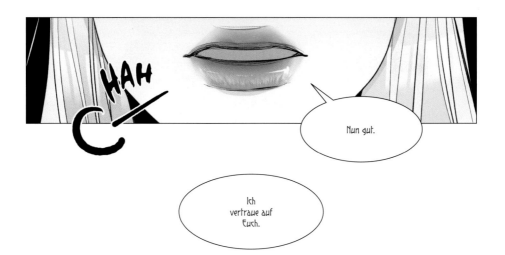

HAH

Nun gut.

Ich vertraue auf Euch.

KLACK

Eure Majestät!

Werdet Ihr wirklich eine Zofe für diese Frau aussuchen?

SCHNAUB

TAPP

Ich hörte, dass selbst die Sekretäre des Kaisers mittlerweile aufgegeben hätten.

Ich bin gewiss nicht erpicht darauf ...

Oh weh, mein Kopf ...

ARGH

Warum soll die Kaiserin persönlich eine Zofe für eine einfache Konkubine suchen?!

Da dem Kaiser diese Angelegenheit so wichtig zu sein scheint ...

Kammerdamen und die ihnen untergeordneten Zofen sind Adelige, die denselben oder einen ähnlich hohen Rang wie ihre Herrinnen bekleiden.

Da Rashta keiner adeligen Familie entstammt, wäre es unhöflich, eine Adelige mit der Rolle der Zofe zu betrauen.

Das ist heikel ...

... habe ich keine Wahl.

Ladet alle adeligen Damen der Hauptstadt zu einer Teegesellschaft ein.

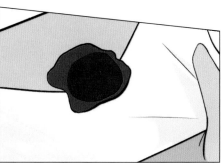

Ich danke Euch für die Einladung! Wir haben uns lange nicht gesehen, doch Eure Schönheit ist in keiner Weise verblasst.

Das stimmt! Aber verratet uns, Majestät, welchem Anlass haben wir diese wunderbare Teegesellschaft zu verdanken?

Ich habe Euch hergerufen, weil ich Eure Hilfe benötige.

Oh, unsere Hilfe?

Sagt es uns bitte, egal worum es geht!

Wenn die Kaiserin uns um etwas bittet ...

Genau, genau!

Seine Majestät ist auf der Suche nach einer Zofe für seine neue Konkubine.

Die Adeligen sind sehr stolz auf ihren Rang.

Würde sich denn jemand dazu bereit erklären, diese Aufgabe zu übernehmen?

Deshalb darf ich Rashtas Herkunft nicht erwähnen.

Warum ... ist die
Stimmung mit einem Mal
so missbehaglich ...?

Nun ...

Geht es dabei um Fräulein Rashta?

Kaum jemand ist derzeit mehr im Gespräch. Ihr Status als entflohene Sklavin ist in aller Munde.

Es wäre mir bereits bei einer Bürgerlichen unangenehm ...

Die Zofe einer entflohenen Sklavin zu werden, kommt dem gesellschaftlichen Untergang gleich, Majestät.

Ich bin erschöpft ...

LINS

Soll ich Euch ein warmes Bad einlassen, sodass Ihr Euch erholen könnt?

Oder möchtet Ihr ein wenig spazieren gehen? Beim letzten Mal haben wir diesen Vogel ... Oh?

SCHRECK

Er ist zurück-gekommen?

?

Ja! Dort drüben ist er!

SCHWUPP

Wirklich?

Er hat Euch wohl gesucht! Und er trägt wieder eine Nachricht bei sich!

OH

PFFT

Wahrlich, ich bin weitaus weiser als mein gefiederter Gefährte. Zudem bin ich nunmehr ausgenüchtert.

Laura, würdet Ihr mir ein Stück Papier und eine Schreibfeder holen?

KRITZEL

KRITZEL

Ihr scheint noch nicht ganz bei Verstande zu sein. Wie lautet der Name des Vogels?

Schön, dass Ihr ebenfalls Spaß habt!

KICHER

Hmm ...

Ein wenig ...?

ZERR

So!

Finde auch diesmal deinen Weg zurück!

MWAH

!

Ob er eine weitere Antwort schicken wird?

Ich hoffe es ...

KLOPF

KLOPF

Eure Majestät, Seine Majestät der Kaiser ist hier.

Schon wieder?

Wir werden draußen warten.

TAPP

TAPP

Ihr sucht mich in letzter Zeit häufig auf, Majestät. Was führt Euch heute zu mir?

Wie kommt Ihr mit der Suche nach einer Zofe für Rashta voran?

Rashta. Natürlich.

Ich habe alle adeligen Damen zum Tee geladen, aber niemand hat sich freiwillig gemeldet.

Ist das alles?

FROSTIG

Wie bitte?

Es gibt gewiss einen Grund für ihre ablehnende Haltung.

Habt Ihr ...

ZUCK

... den Adeligen womöglich Flausen in den Kopf gesetzt?

GNN

Wie könnte ich, wenn ich nichts über Eure Konkubine weiß?

Nicht selten basieren Gerüchte auf Vorurteilen oder haltlosen An- schuldigungen.

SST

TAPP

Wohl wahr. Es ist auch nicht selten der Fall, dass infame Verdächtigungen weder Hand noch Fuß haben.

Lasst mich die Frage anders formulieren.

BAMM

Wart Ihr es, die unter den Adeligen das Gerücht verbreitete, Rashta sei eine entflohene Sklavin?

Eine Rivalin
in der Liebe?

Eure
Konkubine ist für
mich keine Rivalin
in der Liebe.

Schließlich hatten
Ihr und ich nie eine
Liebesbeziehung.

SST

Es kümmert mich nicht, was zwischen Euch und Eurer Konkubine passiert. Und ich möchte mich auch in keiner Weise damit befassen.

Also hört bitte auf, mich weiterhin in diese Angelegenheit zu verwickeln.

TAPP TAPP

BAMM

FWUIT

Eine
Kaiserin sollte
wegen so etwas
nicht weinen ...

DROPP

Hah ...

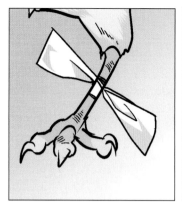

Braucht er denn einen Namen?
Dann sollt Ihr ihm einen geben.

PFFT

Welch
gedankenloser
Besitzer!

STARR

Hmm ...?

TAXIER

Oh ...
Hast du es
bemerkt?

Dass ich
geweint habe.

Ich
werde dir etwas
verraten.

Dies ist mein geheimer Platz.

Hier muss ich meine Tränen nicht zurückhalten.

Das bleibt unter uns, ja?

FWIT

FWIT

SST

Oh!

Willst du mich trösten? Wie lieb du doch bist.

ZUCK

MWAH

Tschii ...

Ein einfühlsamer und weiser Vogel wie du verdient einen Namen, der seinem Charakter schmeichelt.

KRITZEL KRITZEL

Queen

WUMM

Dein Name lautet „Queen".

Tschii ...

Ja ... Egal was andere sagen, ich bin die Kaiserin.

Queen

MURMEL

Meine Untertanen erwarten nicht, dass die Kaiserin vom Kaiser geliebt wird.

Und das war auch nie das Ziel meines Lebens.

Danke, dass du zu mir gekommen bist, Queen. Ich fühle mich viel besser.

DRÜCK

Bitte komm
bald wieder
vorbei!

Herrje! Ein männlicher Vogel, der den Namen „Queen" trägt?

Kruiik?!

Ihr wolltet doch die Räumlichkeiten des Palasts auskundschaften, Hoheit. Seid Ihr etwa schon wieder frei umhergeschweift?!

Nicht doch. Ich habe den Palast bis in den letzten Winkel erkundet.

Seid Ihr sicher?

Du glaubst mir nicht?

Ach was!

Seid unbesorgt!
Um diese Uhrzeit ist
die Kaiserin gewiss
nicht hier.

PLAPPER

PLAPPER

Außerdem, gehört
ihr etwa der gesamte
Westpalast? Ihr habt keinen
Grund, Euch fernzuhalten,
Fräulein Rashta.

Eu...
Eure Majestät!

HUCH!

Sch...
Schwester, i...
ich meine, Eure
Majestät ...!

SPRING

Diese
Schaukel ...

... gehört mir.

ZITTER

Oh, ich ...
D... Das ...

BLICK

Das Tuch,
auf dem du gesessen
bist ...

... gehört
ebenfalls mir.

E... Es tut
mir leid, Eure Majestät.
Rashta wusste das nicht.
Sie ... Sie hat die Schaukel
zufällig entdeckt ...

Da du
es nicht wusstest,
belassen wir es dabei.
Aber komm in Zukunft
nicht mehr hierher.

Ich meine die
Konkubine, die der
Kaiser nach dir zu
sich holen wird.

R... Rashta möchte
sich doch mit Euch
anfreunden ...

Du kannst dich mit
der nächsten Konkubine
anfreunden.

Mit der nächsten
Konkubine?

SCHOCK

Eure Majestät,
Seine Majestät der
Kaiser ist h...

Das
reicht.

STAPF

STAPF

Majestät? Was
führt Euch zu so
später Stunde ...

Wie kann sich jemand so sehr verändern?!

Was woll Ihr damit sagen?

Ich spreche von Eurem Verhalten gegenüber Rashta.

Schon wieder Rashta. Ich bin diesen Namen wirklich leid.

POCH

Ich habe Euch gesagt, dass ich nichts mehr von ihr hören möchte. Und trotzdem sprecht Ihr ständig von ihr.

Mir wurde zugetragen, was heute Nachmittag passiert ist.

Majestät!

Ihr wollt also nichts mehr von ihr hören? Würdet Ihr sie endlich in Ruhe lassen und davon absehen, sie kontinuierlich zu verletzen, müsste ich Euch nicht aufsuchen!

Majestät.

Hat der vorherige Kaiser regelmäßig mit der Kaiserin über Gräfin Sophia* gesprochen?

!

* die Konkubine des früheren Kaisers

Rashta ist ebenfalls eine Eurer Untertanen. Habt Ihr kein Mitleid mit ihr?

Nein.

Ich wusste nicht, dass Ihr so gehässig sein könnt.

BAMM

...

135

SCHWANK

Eure
Majestät!

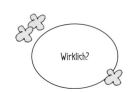

Wirklich?

Seine Majestät ist
zur Kaiserin gegangen und
hat mit ihr geschimpft?
Für Rashta?

Wenn ich
es Euch doch sage!
Er wurde dabei so laut,
dass seine Stimme durch
die Korridore hallte!

Und das
ist noch nicht
alles!

Er hat Euch
eigens einen Korbstuhl
geschickt!

PFFT

Man könnte meinen, dir gehöre dieses Zimmer.

Musst du mitten in der Nacht Botengänge erledigen?

STREICH STREICH

RASCHEL

Ganz nach Eurem Wunsch soll der Vogel den Namen „Queen" tragen ... obgleich er ein Männchen ist!

Du bist ein Männchen?

FLAPP

FLAPP

Tschirp!

PFFT

Bist du aufgebracht, weil ich das nicht wusste?

Oh!

Tschirp!

Bald darauf standen die Neujahrsfeierlichkeiten vor der Tür.

Erfreulicherweise nahmen nicht viele erlesene Gäste teil, die Sovieshu und ich persönlich begrüßen mussten.

So konnte ich ihm eine Weile aus dem Weg gehen.

Doch zu meinem Bedauern musste ich ihm schließlich erneut gegenüberzutreten.

Prinz Heinrey aus dem Westlichen Königreich ist eingetroffen!

RATTER

Prinz Heinrey ...

... entstammt dem Westlichen Königreich und ist der direkte Thronfolger.

Um ihn ranken sich zahlreiche Gerüchte, die sowohl seine unvergleichliche Schönheit lobpreisen, als auch seine unerbittliche Grausamkeit fürchten.

TAPP

TAPP

Nun, immerhin entsprechen die Gerüchte über sein Äußeres der Wahrheit.

Ein Mann mit einem derart hübschen Gesicht wäre wohl selbst dann in allerlei Klatsch und Tratsch verwickelt, wenn er schweigend in einer Ecke stehen würde.

RÄUSPER

Es freut mich ...

FWWT

Es ist mir eine Ehre, Euch kennenzulernen, meine Queen.

Die Ehre ist ganz meinerseits, Eure Hoheit.

Ich hoffe, Ihr könnt vor den Feierlichkeiten eine erholsame Ruhepause einlegen. Bitte fühlt Euch in unserem Palast wie zu Hause. Es wird Euch hier gewiss gefallen.

TOCK TOCK

Ist ja gut.

Ich soll die Nachricht sofort lesen?

Ich bin im Palast angekommen.
Könnt Ihr herausfinden, wer ich bin?

Oh ...
Dein Besitzer ist im Palast?

Ich bin mir nicht sicher, wer Ihr seid.

KRITZEL

Hm ...

wisst Ihr

Wisst Ihr denn, wer ich bin?

FLATTER

FSSCHHH

TSCHIRP ♡

TROPF
TROPF

Queen!

Wollen wir eine Wette abschließen?

Wer zuerst die Identität des anderen ergründet, soll gewinnen.

Wie bitte?

VERWIRRT

Dein Besitzer hat dich in diesen Regenguss geschickt, um mir eine Wette vorzuschlagen?

RUBBEL

Wie herzlos er ist!

Uuuh ... Uh!

SCHÜTTEL

AUFGEREGT

Tschirp!

149

Du kannst es noch so sehr abstreiten. Ich bin mir sicher.

Tschirp!

KRZ KRZ

Worum wollt Ihr wetten?

Uuuh!

STRAHL

STRAHL

SST

Du willst, dass ich den Brief festbinde?

Nein.

Es regnet in Strömen.

Ich bin anders als dein Besitzer!

SST

Schlaf heute Nacht bei mir! Sobald der Regen aufhört, schicke ich dich los.

SCHOCK

Tschirp?!

Hmm ...

BLINZEL

Queen ...?

VERSCHWUNDEN

TACK
TACK

Hm?

TSCHIRP

Queen!
Warum bist du einfach
zurückgeflogen?

RASCHEL

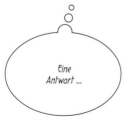

Eine
Antwort ...

Wir wetten um Queen.

Wie herzlos.

Hm ...

Ein Wink – ich bin ein Mann von Stand.

Uh?

Verzeiht die Störung, Eure Majestät ...

Seine Hoheit Prinz Heinrey wünscht Euch zu sehen.

Ah, meine Queen.

KLACK

Warum ist er hier ...?

SST

Ich hoffe,
ich komme nicht
ungelegen.

Keineswegs.

Aber was
führt Euch
zu mir?

Ich möchte um
eine Palastführung
bitten.

Eine
Palastführung?

Euer Prachtbau
ist schrecklich weitläufig.
Ich habe Angst, mich zu
verlaufen.

Oh, ich
werde eine meiner
Kammerdamen ...

Nein.

Ich hatte gehofft, dass Ihr mir die Ehre erweisen würdet, meine Queen.

VERBEUG

Dieser Prinz ...

Er ruft mich unaufhörlich „meine Queen".

Ist er womöglich Queens Besitzer?

Verlange
ich zu viel?

Er klingt
freundlich ...

... doch er wirkt ein wenig arrogant.

In Ordnung.

Ich sollte darauf achten, den einflussreichen Thronfolger des Westlichen Königreichs nicht zu verstimmen.

Ich danke Euch!

Folgt mir bitte.

Seine Stimmung ändert sich wie das Wetter.

Habt Ihr dem Silbergarten bereits einen Besuch abgestattet? Er befindet sich in der Nähe des Südpalasts.

Natürlich! Den Südpalast habe ich schon erkundet.

Hm ...
Dann ...

Eure
Majestät!

Diese
Stimme ...

TAPPS

Das ist Seine Hoheit Prinz Heinrey aus dem Westlichen Königreich.

Oooh! Ich treffe zum ersten Mal einen echten Prinzen!

Ach!

Soll Rashta Euch den Palast zeigen?

Danke, aber kein Bedarf, Fräulein Rashta.

Die Kaiserin ist eine äußerst liebreizende Begleitung.

SST

AH

Dann könnten wir ja zu dritt ...

Bitte verzeiht.

ZUCK

Was?

Drei sind eine Person zu viel.

Lasst uns gehen, meine Queen!

FWUIT

TSS

BLICK

!

Welch frostige Miene.

Meine Queen.

Ja?

LINS

Findet Ihr mich denn gar nicht attraktiv?

AAH

Wie seltsam.
Spätestens jetzt würden
alle Interesse an mir
zeigen.

GRÜBEL

Warum seid
Ihr so distanziert,
meine Queen?

Ist mein
Gesicht womöglich
geschwollen?

DEPRIMIERT

Dabei habe ich
mich sogar besonders
schick angezogen.

—SCHNIEF

(SPRACHLOS)

○ ○ ○

Nicht
doch, Ihr seht
sehr ...

PFFT

Nein, bitte
verzeiht! Ihr schient
lediglich sehr
verkrampft.

Hat es mit dieser jungen Frau zu tun?

Ist sie die Affäre des Kaisers des Östlichen Imperiums?

GNN

Welch ausgesprochen rätselhafter Mann.

VERWUNDERT

Wie kann sein Blick wandern, wo er doch eine Kaiserin wie Euch an seiner Seite hat?

HMMM

...

Eure
Majestät.

Würdet Ihr mich
zum exklusiven Ball
einladen, der während der
Neujahrsfeierlichkeiten
stattfindet?

Habt Ihr keine
schriftliche Einladung
erhalten?

Doch,
das habe
ich.

Allerdings
wäre ich lieber Euer
Gast anstatt ein Gast
des Kaisers.

Ich danke Euch
für Eure aufmerksame Geste,
aber die Einladungen wurden
bereits versendet.

Nun, dann werde
ich wohl den Namen des
Kaisers durchstreichen und
mit Eurem ersetzen.

PFFT—

Wollen wir
die Führung
fortsetzen?

SST

Der erste Tag der
Neujahrsfeierlichkeiten

Hast du dich umgedreht, weil du ein Männchen bist?

Wie niedlich!

Bist du etwa schüchtern?

Pass auch heute gut auf meinen Brief auf!

Ich hoffe, ich werde deinen Besitzer treffen.

Beim Ball am ersten Tag der Neujahrsfeierlichkeiten ...

... betreten der
Kaiser und die Kaiserin
stets gemeinsam
den Saal.

Warum nimmt
eine Konkubine am
Neujahrsball teil?

Eine Konkubine ist von den Neujahrs-feierlichkeiten gewiss nicht ausgeschlossen ...

... doch sie mischt sich gemeinhin nur unter die Gäste, wenn sie eine Ausbildung genossen hat. Rashta hingegen ...

ZACK

Rashta ...

FWUIT

Hast du lange gewartet?

STOPP

SST

WINK

FWUIT

So erhaben sie auch
sein mag ... um die Gunst des
Kaisers nicht zu verlieren, hat sie
keine andere Wahl, als sich seinem
Willen zu beugen.

ERSTARR

FWIRL

HUCH

Psst!
Die Kaiserin!

H...
Hat sie uns
gehört ...?

Sie haben
über mich geredet,
oder?

?

Ähm ...
Eure Majestät.

Habt Ihr dieser Frau wahrhaftig ein Geschenk zukommen lassen?

Oh ... Bitte verzeiht.

SCHRECK

Sie erwähnte vorhin Eure Großzügigkeit.

Ein Geschenk?

Sie meinte, die Kaiserin habe ihr teure Geschenke geschickt, um sie als Konkubine willkommen zu heißen ...

GNN

FWWT

179

Mitnichten.

Hier scheint ein Missverständnis vorzuliegen.

Natürlich.

Oh, es ist wohl Zeit für den Eröffnungstanz.

Der Tanz ...

DREH

Sovieshu wird wohl zuerst mit Rashta tanzen ...

Da ich die Kaiserin bin, ist es ausschließlich Sovieshu erlaubt, mich um den ersten Tanz zu bitten.

Nun ... Mir scheint, ich kann mich ein wenig ausruhen.

Ich bin müde ...

Hier
seid Ihr also,
meine Queen.

Ich habe
den halben
Saal nach Euch
abgesucht.

Könnt Ihr
gut tanzen?

Will er mich,
die Kaiserin, um
den ersten Tanz
bitten?

ZÖGER

Was, wenn dadurch weitere unnötige Gerüchte aufkommen?

Und dennoch ...

Sogar sehr gut.

Denkt Ihr, Ihr könnt mit mir mithalten?

Da Ihr so selbstsicher wirkt, werde ich es ignorieren, falls Ihr mir auf die Füße tretet.

Warum lacht Ihr? Handelt es sich dabei womöglich gar nicht um ein Gerücht ...?

Nein, nein. Bitte glaubt nichts von alledem, das Ihr über mich aufschnappen mögt.

Tanzt dieses Mal mit mir!

Tanzt bitte mit Rashta, werter Prinz!

TAPP
TAPP

Navier!

Wir haben damals lauthals über die ungeschickten Bewegungen des anderen gelacht.

STOLPER

Doch diese unbeschwerten Tage gehören längst der Vergangenheit an.

Kaiserin.

Rashta ...

Prinz Heinrey hat gesagt, dass er nicht mit mir tanzen würde ...

Rashta war ganz allein ...

TUSCHEL

Du liebe Zeit! Er hat die Kaiserin stehen lassen ...

TUSCHEL

Der Kaiser scheint sich tatsächlich in seine Konkubine verliebt zu haben ...

TUSCHEL TUSCHEL

TUSCHEL

Die Gerüchte stimmen also?

TUSCHEL

TUSCHEL

TUSCHEL

FWUIT

TAPP

TAPP

STAPF

TAPP

STAPF

STOPP

ERSTARR

Oh.

Nun, ich war lediglich besorgt, dass Ihr Euch verlaufen könntet, weil der Palast so weitläufig ist ...

Und dunkel ist es auch ...

UNSCHULDIG

STARR

Seid Ihr in Ordnung?

BLICK

Gute Nacht,
Prinz Heinrey.

BAMM

Natürlich.

Danke,
dass Ihr mich
begleitet habt.

KLICK

SCHWANK

SACK

HNNG

TACK
TACK

Tschiiirp!

Ja. Viscountess Verdi könne nicht länger ihre Pflichten als Eure Kammerdame wahrnehmen.

Und Ihr seid gewiss, dass der Bote im Auftrag der Viscountess hier war?

Vor nicht allzu langer Zeit lieh sie sich eine stattliche Summe von mir ...

Ob etwas passiert ist?

Ich hoffe, es geht ihr gut.

Am zweiten Tag der Neujahrsfeierlichkeiten

Die blaue Seide, die sie trägt ...

Ist das nicht die, die Großherzog Lilteang ursprünglich Euch zukommen ließ?

Nun ... Mir scheint, nicht nur die Seide hat den Weg zu ihr gefunden.

Will diese Konkubine ...

Die Person neben ihr ...

... mir nach und nach alles wegnehmen?

Viscountess Verdi ...

AAH

Wollen wir nicht lieber über etwas anderes sprechen?

Während einer Mahlzeit im Südlichen Palast habe ich etwas Amüsantes gehört.

Ich verstehe wirklich nicht, wie sich dieses System etablieren konnte.

„Konkubine" ist lediglich eine höfliche Umschreibung für Ehebruch.

Circe
Prinzessin
des Südlichen
Königreichs

Prinz Heinrey scheint anonyme Briefe mit jemandem auszutauschen!

WUUSCH

Er hat öffentlich um Hilfe gebeten, weil er diese Person unbedingt finden will.

FLÜSTER

Anonyme Briefe ... Kommt uns das nicht bekannt vor?

FLÜSTER

Offenbar ist Prinz Heinrey derjenige, der Queen mit Botschaften zu Euch schickt!

Ist das nicht eine wunderbare Gelegenheit, Euch mit Prinz Heinrey anzufreunden, Majestät?

Wenn unsere Beziehung öffentlich wird ...

... werden meine Feinde dies ausnutzen, um boshafte Gerüchte zu verbreiten.

Deshalb ...

... möchte ich lieber seine gesichts- und namenlose Freundin bleiben.

Briefe von einer Unbekannten! Wie romantisch!

Ist das wahr? Schließlich ist Prinz Heinrey in zahlreiche Gerüchte verstrickt ...

Nun, warum sonst sollte er öffentlich nach dieser geheimnisvollen Person suchen?

?

Seid Ihr womöglich diese romantische Brieffreundin, Fräulein Rashta?

Nein, Rashta ist auch neugierig!

Ich danke Euch vielmals für Eure Einladung zur Teegesellschaft, Fräulein Rashta!

Ich hatte ebenfalls Spaß. Ihr werdet auch das nächste Mal kommen, oder?

Viscountess Verdi, Ihr schaut schon die ganze Zeit so unglücklich. Was habt Ihr?

Falls Ihr zur Kaiserin zurückkehren wollt ...

Wie bitte? N... Nein ...

Es ist nur ... Ich glaube, Ihre Majestät ist die anonyme Brieffreundin von Prinz Heinrey.

Du meine Güte! Wirklich?

Nun, die Kaiserin wird sich allerdings nicht zu erkennen geben.

Schließlich ist sie sehr stolz.

Dann wisst Ihr also, worüber die beiden in ihren Briefen geschrieben haben?

In der Tat ...

Ich habe gerade eine lustige Idee!

Was haltet Ihr hiervon?

Am dritten Tag der Neujahrsfeierlichkeiten

Es heißt, Prinz Heinreys heutige Partnerin ist seine Brieffreundin!

Wie?

Dieses Mädchen ist Rashtas ...

Es freut mich, Euch kennenzulernen, Eure Hoheit.

Ich bin Eure Brieffreundin und heiße Cherini.

VERZÜCKT

BADUM BADUM

Dieser Mann ist also Seine Hoheit Prinz Heinrey.

201

PLAPPER
PLAPPER

PLAPPER
PLAPPER
PLAPPER

?

Warum
habt Ihr mich
getäuscht?

Sagte ich
nicht, dass mir
diese Person sehr
wichtig ist?

Ist es im
Östlichen Kaiserreich
akzeptabel, dass eine Zofe
ein Mitglied der königlichen
Familie belügt?

D... Das
war nicht
meine ...!

PANISCH

ZITTER

In
Wahrheit ...
Nun ...

Es war nicht alles gelogen, habe ich nicht recht?

LÄCHEL

Wenn ich so darüber nachdenke ...

ZUCK

W... Wie bitte ...?

Immerhin kanntet Ihr einen Teil der Inhalte.

Demnach gehe ich davon aus, dass Euch bewusst ist, wer meine echte Brieffreundin ist.

BLICK

Oder Ihr habt es über mehrere Ecken erfahren.

Womöglich ist es sogar die Herrin, der Ihr dient?

ZUCK

Ihr seid unerwartet scharfsinnig, Prinz Heinrey.

Seid Ihr Fräulein Cherinis Herrin, Fräulein Rashta?

Als wir uns Briefe geschrieben haben, dachte ich, Ihr würdet nur Späße treiben.

Genau. Rashta ist diejenige, die Ihr gesucht habt, Eure Hoheit.

Wenn Ihr mir nicht glaubt, dürft Ihr mich gern prüfen.

?!

Oh, das habe
ich keineswegs
vor.

Jemand wie
Fräulein Rashta würde
mich gewiss nicht auf
eine falsche Fährte
locken.

Prinz Heinrey ...
Diese Person ...!

Queen hat mich zuletzt vor drei Tagen besucht.

Wartet Ihr auf Queen, Eure Majestät?

Ihr solltet Euch allmählich umziehen.

Am letzten Tag der Neujahrsfeierlichkeiten findet ein exklusiver Ball für äußerst wichtige Gäste statt.

Um sich mit den immer wechselnden Teilnehmern bekannt zu machen, essen wir am Vorabend gemeinsam zu Abend.

Ich danke Euch, Gräfin Eliza.

Es ist mir eine Ehre.

In diesem Jahr wird Prinz Heinrey und Großherzog Kaufmann gewiss die meiste Aufmerksamkeit zuteil.

Prinz Heinrey ist stets in zahlreiche Gerüchte verwickelt.

Und der Großherzog ist der einzige Gast, der von einem anderen Kontinent anreist.

Über ihn ist jedoch nicht viel bekannt. Er stammt aus einem Wüstenstaat namens Rift ...

... und hat hierzulande die Akademie für Magie mit Bestnoten absolviert.

Die Situation ist heikel, da wir kaum etwas über die Hofetikette in Rift wissen.

TAPP

TAPP

KLACK

Schwester!

Schon wieder.

Oh, falsch. Eure Majestät!

Ich habe mich einfach zu sehr gefreut.

HIHI

Sie stand nicht auf der Gästeliste für den morgigen Ball.

Bringt Sovieshu sie als Begleitung mit?

HNNG

BETRÜBT

WUUUSCH

Da seid Ihr ja, Eure Majestät! Ihr ahnt nicht, was zwischenzeitlich vorgefallen ist!

Was ist los?

Das Gerücht, Prinz Heinrey sei ein unverbesserlicher Frauenjäger, scheint wahr zu sein.

FLÜSTER

FLÜSTER

Er umgarnt Fräulein Rashta sogar in Anwesenheit des Kaisers!

Er hat sie so zuckersüß wie ein Sahnehäubchen behandelt!

BUUMM!

Ei... Ein Sahnehäubchen?

Hm? Die Atmosphäre ...

... wirkt seltsam angespannt ...

Ihr seid unverschämt, Prinz Heinrey!

KLIRR

BLINZEL

Es ist unverschämt, sie auf ihre Irrtümer hinzuweisen? Fräulein Rashta versicherte mir, meine Brieffreundin zu sein, weiß jedoch kaum etwas über den Inhalt meiner Briefe.

Falls sie sich also nur als diese ausgibt, ist es dann nicht selbstverständlich, dass ich die Ehre der unbekannten Dame verteidige?

Ein Wink – ich bin ein Mann von Stand.

Oh. Natürlich könnte ich es auch mit einem Mann zu tun haben.

BLICK

Ich bin furchtbar verärgert.

Sowohl Fräulein Rashta als auch ihre Zofe haben mich hinters Licht geführt. Schauen sie auf mich herab oder auf das gesamte Westliche Königreich?

ZUCK

Rashta erklärte bereits, dass sie lediglich ein paar Kleinigkeiten durcheinandergebracht hat.

Und ich erklärte bereits, dass es völlig absurd ist, mehr als die Hälfte der Briefinhalte durcheinanderzubringen!

LEHN

Prinz Heinrey!

Was meinen die anderen Gäste? Bin ich wirklich im Unrecht? Fräulein Rashta offenbarte gestern höchstselbst, dass sie meine Brieffreundin ist.

FWOM

Und ich habe ihren Worten Glauben geschenkt, ja, hätte es nicht im Entferntesten für möglich gehalten, dass die reizende Konkubine des Kaisers mich täuschen würde.

Daher habe ich sie, um es in den Worten Ihrer Hoheit Prinzessin Circe auszudrücken, so zuckersüß wie ein Sahnehäubchen behandelt.

Er hat Ohren ... wie ein Luchs ...

Das ist wirklich gemein.

SCHNIEF

Liegt es daran ...

... dass Rashta aus keiner gebildeten Familie stammt? Weist Ihr mich deshalb ab?

TROPF

TROPF

URKS

Was redet sie da?

Soll ich einschreiten ...?

STARR

Kaufmann
Großherzog aus Rift

BLICK

Majestät, ich weiß, wer mit Prinz Heinrey Briefe ausgetauscht hat. Es war nicht Fräulein Rashta.

Nur weil Ihr Rashta verachtet, solltet Ihr nicht für Prinz Heinrey Partei ergreifen, Kaiserin.

!

Scheinbar hält der Kaiser ausschließlich Fräulein Rashtas Worte für vertrauenswürdig.

Das muss sehr frustrierend sein, Eure Majestät.

SWUUUSCH

Ich werde das nicht länger tolerieren.

Prinz Heinrey.
Da Ihr die Ehre meiner
Konkubine beschmutzt
habt, fordere ich Euch
zum Duell heraus.

Ist es mir gestattet,
diesen Raum unbehelligt
zu verlassen, selbst
wenn ich Euch hier
töte, Majestät?

UNGENIERT

Welch ein Anblick.

Majestät, beruhigt Euch bitte.

SST

Und Prinz Heinrey, Ihr seid unser Gast.

Hört bitte damit auf.

FWUMP

Die Tischgesellschaft ist hiermit aufgelöst. Danke, dass Ihr alle gekommen seid.

TAPP

TAPP

Puh! Mir wurde regelrecht flau im Magen.

Ich hoffe, wir können uns morgen etwas mehr unterhalten, Majestät.

Natürlich. Ich freue mich darauf, Prinzessin Circe.

Vielen Dank, dass Ihr hier wart, Majestät.

BLICK

Danke, dass Ihr heute hier wart, Majestät! Lasst uns morgen wieder eine vergnügliche Zeit zusammen verbringen!

Was?

Was ist los, Schwester?

...

LINS

Oh!

IN

223

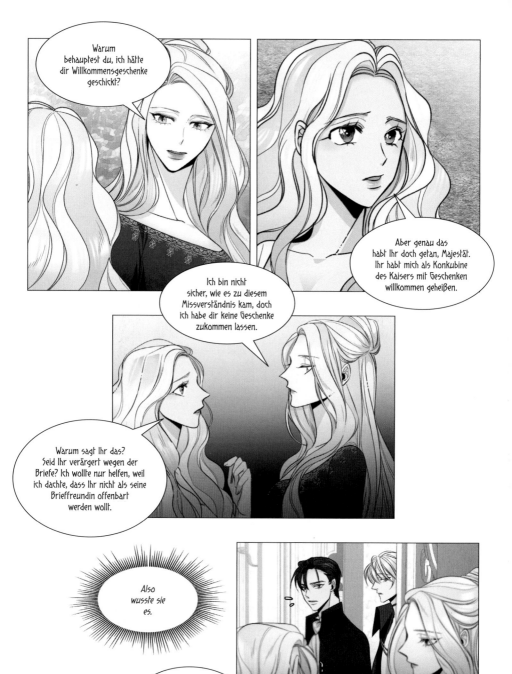

Warum behauptest du, ich hätte dir Willkommensgeschenke geschickt?

Aber genau das habt Ihr doch getan, Majestät. Ihr habt mich als Konkubine des Kaisers mit Geschenken willkommen geheißen.

Ich bin nicht sicher, wie es zu diesem Missverständnis kam, doch ich habe dir keine Geschenke zukommen lassen.

Warum sagt Ihr das? Seid Ihr verärgert wegen der Briefe? Ich wollte nur helfen, weil ich dachte, dass Ihr nicht als seine Brieffreundin offenbart werden wollt.

Also wusste sie es.

Warum seid Ihr immer so grausam zu mir, Majestät?

SCHLUCHZ

... sollte ich mich wohl bei Euch beschweren. Ihr habt Eure Schuld selbst zugegeben.

Auch Euch als Kaiser ist es nicht gestattet, im Namen einer anderen Person zu handeln.

Also, was erwartet Ihr?

Ich möchte eine Entschuldigung. Übernehmt die Verantwortung für Rashtas Worte und klärt die Sachlage auf.

Navier.

Geht es Euch um Euer Ansehen? Nun, meines ist bereits beschmutzt.

Wenn es nur ein Geschenk für Rashta benötigt, um dein Ansehen zu beschmutzen, war es wohl per se äußerst gering.

Nun, dann gibt es keinen Grund zur Sorge. Euer Ansehen dürfte demnach nur geringfügig Schaden nehmen. Kümmert Euch also so schnell wie möglich darum.

Warum bist du nur derart engstirnig? So warst du doch früher nicht!

Das würde ich dich gern fragen. Und unterlasse es bitte, so respektlos mit mir zu sprechen, Sovieshu.

Seid Ihr eifersüchtig auf Rashta?

HA!

Seiner Majestät dem Kaiser wurde offenbar Sand in die Augen gestreut.

Seid unbesorgt, Majestät! Ich werde die Wahrheit bis in die letzten Winkel des Östlichen Kaiserreichs tragen.

Ich werde nicht zulassen, dass Euer Ruf wegen eines Fehlers, den der Kaiser beging, ruiniert wird.

Wie bitte?!

Eure Hoheit! Endlich habe ich Euch gefunden!

WUUUUUSCH

230

Ihr sagtet doch, es stehe noch eine wichtige Angelegenheit an!

Eine wi...? Oh, natürlich. Ich muss mich leider empfehlen, Majestät.

Wolltet Ihr nicht Euren guten Ruf wiederherstellen, Hoheit?

Haben wir womöglich unterschiedliche Vorstellungen von „wiederherstellen"?!

• • •   • • •

Bleibt doch wenigstens Eurer üblichen Vorgehensweise treu.

Kämpft nicht in aller Öffentlichkeit, sondern greift im Verborgenen an!

Warum nur wollt Ihr plötzlich alles anders machen?!

231

Ich werde dem Westlichen Königreich keine weiteren Schwierigkeiten bereiten, also überbringe ihm schnell meine Nachricht.

Es handelt sich um einen Angriff aus dem Verborgenen, ganz so, wie du es dir gewünscht hast.

Erstaunlich. Prinz Heinrey straft all die Gerüchte Lügen.

Er ist ein besserer Mensch, als er vermuten lässt.

Wie wahr! Er hat die dreisten Unwahrheiten von Rashta und ihrer Zofe sofort durchschaut.

Ich war zutiefst erleichtert, als er die beiden in die Schranken gewiesen hat.

Das stimmt. Er hat einen heiteren Charakter, ist aber keineswegs oberflächlich. Zumal er durchaus ruhig und ernst sein kann.

Ob die Adeligen, die sie regelmäßig besuchen, nun zur Vernunft kommen werden?

Das wage ich zu bezweifeln.

Wie meint Ihr das?

Baron Langt zieht bereits die Fäden und verbreitet in der Öffentlichkeit eine gänzlich andere Geschichte.

Fräulein Rashta sei so liebenswert und bezaubernd ...

... dass sich Seine Majestät der Kaiser und Seine Hoheit Prinz Heinrey ihretwegen nahezu duelliert hätten.

Artina
Stellvertretende Kommandantin der Palastwache

AAARGH Wie bitte? Ich hasse dieses Bauernweib so sehr!

SCHRECK

BAMM

Ich bitte Euch, Laura ... Achtet auf Eure Ausdrucksweise.

Aber ich kann meine Wut nun einmal nur mit unflätigen Worten zum Ausdruck bringen!

TACK TACK

Queen!

Du warst so lange nicht da! Ich habe dich vermisst, Queen.

DRÜCK

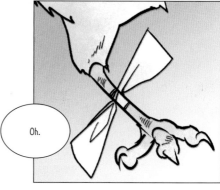

Dieser Vogel ist wirklich seltsam. Jedes Mal, wenn Ihr ihn umarmt, erstarrt er.

Oh.

Ich war bereit, die Wette
zu verlieren, und habe meine
Identität preisgegeben. Doch
warum nehmt Ihr selbst nicht
an der Wette teil?

Sei nicht erzürnt, Queen! Ich halte deinen Besitzer für einen guten Menschen.

Doch sobald wir einander persönlich begegnen, sind wir die Kaiserin des Östlichen Kaiserreichs und der Prinz des Westlichen Königreichs.

Dank Rashta und Sovieshu werden mir einige schlimme Dinge nachgesagt.

Ich möchte die Gerüchte nicht noch weiter schüren oder gar Prinz Heinrey darin verwickeln. Immerhin ist er bereits fälschlicherweise als Frauenjäger bekannt.

Bitte versteh das.

Was?

Rashta darf nicht an diesem Ball teilnehmen?

Es ist nur zwanzig Personen erlaubt, daran teilzunehmen.

Die Kaiserin und ich haben jeweils zehn Personen geladen.

Aber eine weitere macht doch keinen Unterschied ...

Bitte, ausnahmsweise ...

Sobald wir Ausnahmen gewähren, verliert dieser Ball seine Besonderheit.

PATT PATT

Aber Rashta hat auf der Neujahrsfeier allen gesagt, dass sie zum Ball kommen wird ...

Oje ... Du hättest mich vorher fragen sollen.

Da Rashta Eure Konkubine ist, hat sie ihre Teilnahme nicht infrage gestellt ...

SCHNIEF

SCHNIEF

HAH

Ihr wollt Rashta nur nicht dabeihaben!

Rashta, es tut mir leid. Nicht weinen!

UWÄÄÄÄH

Nun gut. Ich ... werde die Kaiserin fragen, ob sie dich auf ihre Gästeliste setzt.

Ihr habt mich wegen des Balls gerufen? Worum geht es?

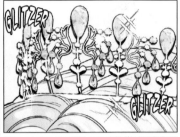

GLITZER

GLITZER

OOOH

Könnt Ihr einem Eurer Gäste eine Absage erteilen?

Wie bitte?

Haben sich Hohepriester Vimirey oder Erzmagier Callenzalo angekündigt?

Diesen beiden muss ich jeweils einen Platz auf der Gästeliste gewähren, selbst wenn das bedeutet, geladene Adelige um den Verzicht ihrer Teilnahme zu bitten.

Das nicht ... Ich möchte Rashta zum Ball mitnehmen.

STILLE

...

Ich fürchte, das wird nicht möglich sein, Majestät. Geladene Gäste zu ersuchen, ihren Platz aufzugeben, wäre selbst im Fall des Hohepriesters und des Erzmagiers schwierig. Wie könnte ich da ...

FWUIT

... Eure Konkubine auf die Gästeliste setzen? Verlangt bitte nicht von mir, etwas zu tun, dem selbst Ihr als Kaiser nicht beikommen könnt.

Am vierten Tag der Neujahrsfeierlichkeiten

Der exklusive Ball, der im Saal der roten Rosen abgehalten wird

Munden
Euch die Speisen,
Großherzog?

Verehrte
Kaiserin.

Diesmal scheint
er mich nicht zu
ignorieren.

...

Ist dies eine
Tradition ... im Östlichen
Kaiserreich?

Verzeihung?

Sollte im Königreich Rift eine Geliebte des Imoti vor den Augen der Imona erscheinen, würde sie auf der Stelle hingerichtet.

ERSTARR!

Ich fürchte, selbst der Kaiserin des Östlichen Kaiserreichs ist es nicht gestattet, grundlos eine Hinrichtung anzuordnen.

Zunächst muss Anklage vor dem Gericht erhoben werden.

Wie bedauerlich, dass Ihr Euch in Eurem eigenen Zuhause nicht entfalten dürft.

Spielt er darauf an, dass es mir gestern nicht gelang, Rashta in Schach zu halten?

FWUIT

Würde eine Kaiserin des Östlichen Imperiums eine Konkubine mutwillig umbringen lassen, müsste sie nicht nur Titel und Rang abstreifen, sondern auch eine lange Zeit im Gefängnis verbringen.

Doch egal, was ich unternehmen würde ... letztendlich schade ich immer nur mir selbst.

Warum betrachten mich alle als erbärmlich, obwohl doch Sovieshu derjenige ist, der eine Konkubine zu sich geholt hat?

HAW

SST

Meine Queen.

Oh, Prinz Heinry. Genießt Ihr ...

Ich möchte gern etwas mit Euch besprechen, insofern Ihr mir ein wenig Eurer Zeit gewährt.

...

ZÖGER

?

Ich habe Euren Brief gelesen. In gewisser Weise verstehe ich, dass es Euch ein Anliegen ist, unsere Freundschaft auf unseren schriftlichen Austausch zu beschränken.

Ihr wusstet, dass ich Eure Brieffreundin bin?

Woher?

Kein Grund zur Beunruhigung. Ihr habt Euch nicht verraten.

Dann ...?

247

Fräulein Rashta und ihre Zofe, Fräulein Cherini ...

... kannten ausschließlich den Inhalt unserer ersten Briefe.

Daher kam ich zu dem Schluss, dass jemand, der ebenfalls nur über unsere ersten Briefe im Bilde war ...

... Fräulein Rashta und ihre Zofe eingeweiht haben muss.

Ich hörte, dass eine Eurer Kammerdamen ...

... nun in Fräulein Rashtas Diensten steht.

...

Das genügte, um mich als seine Brieffreundin zu identifizieren?

Hach ...

Ist alles in Ordnung? Ihr seht bekümmert aus.

Wie könnte ich nicht? Eine Person, die ich für eine gute Freundin hielt, gab vor, mich nicht zu kennen.

KUMMERVOLL

GLUCK

GLUCK

Ihr müsst wissen ... Ich habe nicht viele Freunde, mit denen ich offen sprechen kann.

KLONK

... denn nur so vermag ich, es zu beeinflussen, wie andere mich wahrnehmen.

Gewiss, ich bin beliebt und mit vielen Leuten befreundet.

...

Also bin ich nicht die Einzige, die so empfindet.

Meist bin ich von zahlreichen Menschen umgeben. Dies trägt natürlich zu dem Eindruck bei, Einsamkeit sei mir fremd. Doch tatsächlich ist das Gegenteil der Fall.

Als Prinz des Westlichen Königreichs und direkter Thronfolger muss ich auf der Hut sein und meine Verbündeten sorgfältig auswählen ...

Daher war ich glücklich, dass ich meine Gedanken sorgenfrei mit Euch teilen durfte. Nicht als Prinz, sondern als Mensch.

Und da Ihr mir trotz meiner Position ohne Vorurteile begegnet seid, freute ich mich darauf, unsere Freundschaft zu vertiefen.

Mir ging es genauso.

Da ich bereits in jungen Jahren zur Kronprinzessin ernannt wurde, bereitete es mir große Schwierigkeiten, mich jemandem anzuvertrauen.

Ich verstehe Euch sehr gut, Prinz Heinrey. Doch ich bin überzeugt, dass uns auch der schriftliche Austausch Freude bereiten wird.

Ich verspreche, es wird Euch ein noch größeres Vergnügen sein, persönlich mit mir zu kommunizieren, meine Queen.

Abseits dessen verstehe ich Euren Gedankengang. Ich werde unsere Freundschaft geheim halten.

Und es wird Euch helfen, wenn ich an Eurer statt den Kaiser als dummen Hund bezeichne.

FLÜSTER

FLÜSTER

Sovieshu ist ein dummer Hund!

Pfft!

Im Gegenzug dürft Ihr mich nicht ignorieren, wenn wir einander begegnen.

Ich werde Euch nicht drängen, Zeit mit mir zu verbringen. Ich wünsche mir nur, dass Ihr mich nicht meidet.

Ich beneide Fräulein Rashta um ihr verführerisches silbernes Haar und ihre dunklen Augen.

Sie wirkt so elegant wie ein Maiglöckchen, nicht wahr?

Der Bankettsaal

Ohne die Kaiserin und Herzogin Tuania ...

... fühle ich mich wie der Mittelpunkt der feinen Gesellschaft.

Bevor ich eine Konkubine wurde, empfand ich meine Schönheit als einen Fluch.

Aber nicht hier.

Ich habe jemanden, der mich beschützt. Niemand kann mir drohen.

Fräulein Rashta, warum seid Ihr nicht auf dem exklusiven Ball?

ERSTARR

Oh, das ...

Du liebe Güte! Fräulein Rashta ist wahrlich eine intelligente Konkubine.

Wie wahr! Der frühere Kaiser hatte viele Konkubinen, doch mit der Politik unseres Imperiums wollten sie nichts zu tun haben. Ihr seid anders!

„Sie ist so liebenswert."

„Solch eine Blume ist schon lange nicht mehr im Kaiserreich erblüht."

„Fräulein Rashta."

„Fräulein Rashta."

Selbstverständlich. Rashta muss Seine Majestät unterstützen.

Hier bin ich ein angesehenes Fräulein.

Niemand wird es wagen, mir zu scha...

254

SLP

KWIRR

Kyah!

ZITTER

Unmöglich ...
Wie ... Warum ...?

Fräulein Rashta? Seid Ihr in Ordnung?

Fräulein Rashta, Ihr seid so blass ...

Warum ist dieser Mann hier?

Fortsetzung folgt im nächsten Band

1. Auflage, 2024
Deutsche Ausgabe/German Edition
© Cross Cult Entertainment GmbH & Co. Publishing KG | Manhwa Cult, Ludwigsburg 2024
Verlagsleitung: Andreas Mergenthaler & Luciana Bawidamann

Aus dem Koreanischen von Katharina Schmölders

THE REMARRIED EMPRESS Vol. 1
© SUMPUL, HereLee, Alphatart 2020 / MSTORYHUB
All rights reserved.
Original Korean edition published by MSTORYHUB.
German translation rights in Germany, Austria, and German-speaking Switzerland arranged with RIVERSE Inc.
This German edition was published by Cross Cult Entertainment GmbH & Co. Publishing KG

Redaktion & Lektorat: Denise Hedrich
Korrektorat: Inna Heinz
Grafik/Produktionsleitung: Elke Epple
Layout und Lettering: Manhwa Cult, Datagrafix GSP GmbH, Berlin
Druck: Mohn Media Mohndruck GmbH, Gütersloh
Printed in Germany

MIX
Papier | Fördert
gute Waldnutzung
FSC
www.fsc.org
FSC® C011124

Dieses Produkt wurde aus Materialien hergestellt, die aus vorbildlich bewirtschafteten,
FSC®-zertifizierten Wäldern und anderen kontrollierten Quellen stammen.

Print-ISBN: 978-3-98949-046-8

www.manhwa-cult.de